# どうする！園の職員採用

企画　　柴田豊幸
監修　　柴田洋平
編著　　神戸敏文

株式会社 チャイルド社

# はじめに

　今、我が国の保育士採用をめぐる環境は、大変深刻な状況になっています。

　政府は2001年から待機児童ゼロを政策の目玉として掲げていますが、2018年度における全国の待機児童は47,198人と、次第に減少傾向にあるものの、まだまだ目標達成にはほど遠いのが現状です。

　この待機児童問題の大きな原因の一つが、まさに保育士の不足による採用難であり、そしてそのことが施設の増設や保育内容の充実に、大きな制約となっているのが現状です。

　ではなぜ、これほどまでに保育士採用難になってしまったのでしょうか。そして、この環境の中で、今我々はどのように採用活動を進めていけばよいのでしょうか。本書が皆様の園でお役に立ち、皆様の園が「選ばれる園」となるための一助になれば幸いです。

## 年齢区分別の待機児童数

| | 平成30年4月 | 平成30年10月 | |
|---|---|---|---|
| | | | 平成30年4月からの増減 |
| 3歳未満児 | 17,626人 | 44,479人 | 26,853人 |
| うち0歳児<br>(平成29年4月2日〜平成30年9月30日生まれの子) | 2,868人 | 24,300人 | 21,432人 |
| うち1・2歳児<br>(平成27年4月2日〜平成29年4月1日生まれの子) | 14,758人 | 20,179人 | 5,421人 |
| 3歳以上児<br>(平成24年4月2日〜平成27年4月1日生まれの子) | 2,269人 | 2,719人 | 450人 |
| 全年齢児計 | 19,895人 | 47,198人 | 27,303人 |

| | 平成29年10月 | 平成30年10月 | |
|---|---|---|---|
| | | | 平成29年10月からの増減 |
| 3歳未満児 | 52,285人 | 44,479人 | ▲ 7,806人 |
| うち0歳児 | 28,805人 | 24,300人 | ▲ 4,505人 |
| うち1・2歳児 | 23,480人 | 20,179人 | ▲ 3,301人 |
| 3歳以上児 | 3,148人 | 2,719人 | ▲ 429人 |
| 全年齢児計 | 55,433人 | 47,198人 | ▲ 8,235人 |

出典　厚生労働省「平成30年10月時点の保育所等の待機児童数の状況について」

# どうする！園の職員採用　目次

第4章　保育士不足の解消のための国の施策

第5章　採用面接にあたって

# 第1章

# 園における保育士採用

　保育士採用難が叫ばれている中、優秀な人材を確保するのは、どの園にとっても大きな経営課題の一つだと思います。しかし保育士不足を補うべく採用活動をおこなってみても、「なかなか応募が来ない」のが実態ではないでしょうか。

　ここでは園で保育士の採用活動をおこなうにあたっての、具体的な方法と注意すべきポイントについて述べていきます。

## 1.養成校への募集

### 理想は園長自ら直接訪問

　一つ目は養成校への募集活動です。

これは大学や専門学校など養成校の掲示板や学内システムに、求人情報を掲載する方法です。養成校の就職課・学生課(就職支援センター・キャリアセンター)などに求人票を提出する必要があります。

　申込の手続きは学校ごとに異なるので、求人掲載を希望する学校のホームページでの確認を行って進めていくことになります。また、養成校を訪問するにあたっては、出来る限り園長や主任自らが学校を訪問することが大切です。ただし、ただ養成校を訪問しても、求人票は山ほど掲示してあるのはご承知の通りです。

　最近はどこの園の園長も自ら養成校巡りを始めています。少し前までは園長が訪問すれば、意欲的な園だということで目立つこともありましたが、最近はその効果も薄れつつあるようです。もし園長や主任が、出身の養成校の臨時講師を務めるなど何らかの形で学校に接点を持っていて、すでに学校関係者と親しい関係にあるなど生徒を自園の見学に招聘することが可能なら、卒業生の募集に先立ってぜひ活用すると良いと思います。

　くり返しになりますが、いろいろな立場の人が交代で学校訪問するのではなく、採用担当を決めて同じ人が、理想的には園長自らが直接訪問するのが良い結果につながりやすいといえます。当然ですが、常日頃から顔のつながりがあるのと無いのとでは大きな差が出ます。

人間誰でも親しい人に協力したいと思うのは自然なことなので、法人内の全園の園長がまんべんなく行くのではなく、採用担当の園長を決めて集中して行くのがお勧めです。

## 縦のつながりをアピール

また特に、自園にその学校の出身者の保育士がいる養成校については重点的に訪問し、縦のつながりをアピールして、さらに後輩を自園に呼ぶように取り組みます。

その意味では、卒業生と学生の間の口コミが何より重要となります。もちろん良い口コミを増やすためには、現時点の自園の環境を文字通り働きやすい、保育士が後輩に「良い園だよ」とアピールしやすいよう保育の理念、園内環境、人間関係、給与等の処遇などをしっかりと整えてあることが大前提となります。このことについては、後の章で詳しく解説していきます。

かつては、養成校と園では園のほうが優位で、養成校が就職先を探して園にお願いする立場だったものが、今は完全に逆転しているのが現実です。

短大の就職課や学生課に挨拶に行って話をしていると、他の園から電話が入ってくるのを聞くことがあります。だいたい中身は「卒業生を採用したい。その前提として実習生を受け入れたい、という話を再三しているのだが、なかなか来てもらえない。なんとかしてほしい。」というものだったりします。

学校職員の方は、電話ではいろいろ応対していらっしゃるのですが、結局電話を切った後で彼らが言うのは、「そのようなことを学校に言われても、正直どうしようもない。決めるのは学生で、その決め手は学生たちの中での各園の評判だから。」ということです。

つまりは実習園にも選ばれないような園だと、当然ながら就職先にも選ばれない可能性が高い。そしてその判断は、いずれも養成校の中での卒業生の保育士たちからのきめ細かい情報のフィードバックによって、現役の学生が選別・判断をしているという実態があるということなのです。

また養成校によっては、学校が音頭を取って卒業生たちからそれぞれの就職先の園の情報を、詳細なヒヤリング等をおこなって収集して、就職課にフィードバックしているそうです。ということは、募集要項などの書面上に自園の良いところを書いたり、採用面接時にだけ良いところを見せたりといった、実態が伴わないままに取り繕っても実は全く意味がなく、その園で実際に働いている保育士が、常日頃園の職場環境に対して感じていることがほぼすべてそのまま、養成校と学生に筒抜けになっているというのが実態だと考えなくてはなりません。

その情報に基づいて、「就職するならあそこの園は評判よいよ」とか、「その園はあまり評判がよくないよ」というような話が、やりとりされているわけです。こういった意味でも、現役保育士の口コミ、保育士の勤務先園の環境に対する満足・不満の意見が与える影響は、極めて大きいと考えなくてはなりません。

我々自身も就職に限らず、ネットで買い物をする際も、販売会社自身のセールス文言よりも、実際に購入した人の口コミを読んで、その内容の方を信頼して購入の可否を判断することが多いと思います。

若い世代の学生たちは、生まれながらにネット社会・SNS社会になじんだ世代です。口コミが学生の判断に対して、最も影響を与えているという現象がご理解いただけるのではないでしょうか。

一昔前は保育士が辞めたら、出身養成校の職員が「未熟な卒業生ですみません」と保育園に謝りに来ていた時代もありましたが、今は保育士が辞めたら保育園のほうが養成校に対して、「うちの指導が不十分でこんなことになってしまってすみません」と謝りに行くような関係になってしまっているのです。

ただそれも、あながち間違った風潮というわけでもなく、まだまだ労働環境がいわゆるブラックな園も現実にあるのが実態です。一部については新聞報道等で問題になっていることもご承知のとおりです。そして、そういう園ほど悪い評判が広まって、どんどん人が集まらなくなっていっているとも言えるわけです。

実際に当社の経営する園に就職してきた新卒保育士から話を聞くと、先輩や先生から、「あそこの園はいいよ」と言われたのが決定打になって就職しました、という声がありました。

このような実態はそう簡単には明かしてはくれません。前提には園および園長先生と、しっかりとした信頼関係に結ばれていないと、なかなか就職を決めた本音や退職を決断した真の理由は聞き出せないことをご理解ください。

# 2. 保育士就職フェア

## 園長の保育に対する想いを伝える

　ある県の団体が主催した就職フェアで、園のブースで就職希望者を迎えて、いろいろ話をしたことがあります。こういった機会を活用される園も多いかと思いますが、その際のポイントは、経営者・園長ができるだけ自ら参加をして、来訪してきた求職者と直接言葉をかわし、信頼関係を築くということです。

　前項でも申し上げた、園の雰囲気や保育の方針は、何より園長先生のカラーが出る部分でもあります。そしてそれが、就職する側の人にとって最も知りたい、最も判断の決め手になる要因なのです。

　文字通り園の代表である園長その人を信頼して、その人と一緒にこの園で働きたいという思いが湧かないと、園への就職を決断する最後の決め手にはならないのです。もちろん園にしっかりした主任等の中堅職員がいることも、保育の実務においては大切ですが、どんなに主任がしっかりしていても、「他の園ではなく、その園への就職を決める」という判断は、最終的に園長先生の「人となり」を見て決めるケースが多いのです。

　その意味で、日常はもちろんのこと、こういったイベントへ参加した際においても、園長の顔が見えるということが大切なのです。休日の開催であることも多く、お忙しい中大変かと思いますが、ぜひここは若手の保育士だけに任せるのではなく、園長の保育に対する想いを伝えていただく機会にしていただければと思います。

## 保育士フェアのとらえ方

　保育士フェア等は園の「宣伝の機会」とだけ割り切るのであれば、パンフレットを配布など園の若手保育士に対応してもらい、まずは園の雰囲気を伝えることで足りるのかもしれませんが、求職者に対して「この園で働いてみようか」「この園に見学に行きたい」というレベルのリアクションを期待するのであれば、ぜひ園長自らが直接会話をしてください。

　もちろんこういった場におけるやり取りも、前述のように口コミに反映する可能性も高いです。保育士からも「選ばれる園」となるためには、何より情報の発信が大切なのです。ところでこういった「就職フェア」は、新卒者・転職希望者に対して様々な媒体を使って参加を呼び掛けていますが、主催団体のやり方によって、大変盛況なケースもあればそうでもないケースもあり、その開催成果には大きな落差があるのも事実です。

例えばある就職フェアでは、商業モール併設の大きな会場に20園程が出展し、新卒者・転職希望者とも対象にして開催したのですが、平日10時から4時まで開催したなかで、来訪してきた求職者は全体で20人のみ。結果として1人も来なかったブースもありました。

　一方でまた別の企業主催の就職フェアでは、午後半日開催して、全体で150人超の来訪があり、30ブースのほぼすべての園で多いところでは30人以上の求職者との接点を確保したといった具合に、千差万別です。

　ただし連絡先を交換して今後の接触のきっかけは確保したとしても、大切なのはその後にそれをどう繋いでいくかということです。次のステップである園見学に招くことができれば、最終的に採用できる確率は上がってきます。


　一般的な就職フェアにおける園側の参加費用は、無料のフェアもあれば、1回30万〜50万円の参加費用を徴収する主催者もあります。一方で主催者側の集客にかかる経費は、保育者1人あたり2〜3万円といわれています。

　これは広告宣伝にかける費用以外に、例えば会場に来てくれたら保育士一人につきカード2000円分、友達を連れてきてくれたら更に一人あたり1000円など、直接コストをかけて集客を図っているケースも多いためです。集客実績の高い主催者、例えば人材紹介会社などは独自のノウハウを活かして、いろいろな媒体での広告宣伝をおこなうなど、さまざまな人集めの仕掛けを取っています。


### 転職希望者を前に

　転職を考えている保育士たちはこのような機会に参加して、小遣い稼ぎと転職情報収集の両方に利用することも多いので、現在勤務している園に不満をもっている保育士に、短時間の面談を通じて自園の魅力を伝えられるかどうかが、その後の園見学・入職に至るかどうかのポイントになるわけです。

　くり返しになりますが、就職フェアの現場では、転職希望者はいろいろな園のブースで、園のアピールを聞いているはずなので、まずは責任者による自園の魅力を伝えることに注力して、「園見学に来たい」と思ってもらうことを目標にすると良いと考えます。

　なお園の魅力という観点からは、そもそも自園を退職する人が少なければ、採用しなければならない必要人数も少なくて済むわけですから、園経営で最も良い保育士確保策は、今いる職員の満足度を上げて退職を防止することだといえます。本書を参考にしていただき、その観点から自園の魅力を高めてアピールポイントとしてください。

# 3. 実習への招聘と後輩の紹介

## 実習制度を最大限にいかす

　新卒学生の採用には、「実習制度」を活用するのが大きなポイントです。一般企業におけるインターンシップと違い、保育士資格取得のためには実習が必須なので、必ずどこかの園に実習に出ます。

　実習へ招き、実習の終了時には自園のファンにしてしまい、「卒業後はこの園に就職したい」と思ってもらうことが大切です。学生向けの園への就職見学会のような形で、自らの法人傘下の各園を巡る園見学会を催している園さえもあります。

　実習園について、養成校の方で決めるケースや学生個人が決めるケースがあります。まずは養成校とのつながりを重視した対応により実習園に選ばれること、あるいは個人のつてによって学生からの実習申し出を受け入れることです。

　その意味では在籍している保育士が卒業した養成校に後輩である学生の実習を招聘できないか、働きかけることも重要です。

　そして受け入れた際には、その学生たちに「この園に実習に来てよかった」と思ってもらえる体験をさせることが大事です。

　極端な例として、「正直なところ、この子は実際にはうちの園では採用するつもりはない」と判断されるレベルの学生であっても、受け入れた実習の期間は優秀な学生と同様に大切に対応して、様々な保育の経験を積ませてあげるようにすることが大切です。

　なぜならその学生も他の優秀な学生と同様に、養成校に戻ってからの「口コミ」の発信者となるひとりだからです。

　例えば万一、この学生はちょっと出来が悪いという思いが先に立って、厳しめの対応や指導が過ぎたり、こちらにそんなつもりはなくても他の学生との比較で、自分だけ差別的な扱いをうけたと感じさせてしまったりすると、養成校に戻ってからの実習園である自園に対するコメントや、実習園選びに関する学校や後輩への報告が、非常に辛口のものになる恐れさえあるのです。もちろん良いことは褒め、間違ったことは指導するのは、実習である以上当然なのですが、新入職員と同様に、あるいは新入職員に対する以上に、相手はまだ未熟な学生なのだという理解をもって、より丁寧な指導をする必要があるということです。

　また実習期間中に園内では、広い意味で保育士を目指す仲間、自分たちの後輩が来ているのだということ、保育に対する同じ志を持った学生なのだということを職員にもよく理解させて、「仲間」「後輩」を育てていこうという考え方が、園全体としてできるかどうかが大切です。

　なお実習期間の終了にあたっては、子どもたちの手作りによる実習生への記念品のプレゼントを企画するなど、学生のモチベーションアップにも配慮をしている園もあり、大変好評です。こういった気配りも、口コミに反映される好感度ポイントになります。

# 4. 人材紹介会社

## ハローワークと人材紹介会社

　求人広告を出そうとしたときに、まず初めに思いつくのはハローワークの利用ではないでしょうか。ハローワークでの求人とは、ハローワーク内に設置された求人検索端末に求人情報を掲載する方法です。

　園や運営法人の住所を管轄するハローワークで申込をすると、求人情報がハローワークの情報端末内に掲載されます。

　「事業所登録シート」「求人申込書」に記載した内容が「求人票」に反映される流れになっています。ハローワークなら無料で求人広告を出せますので、コストがかかりません。

　しかしながら、無料であるがゆえに、しっかり運営されている園の求人だけでなく、あまり労働環境や待遇が良いとは言えない園の求人や、求人票の内容そのものに虚偽がある広告も混じっているのが実態です。

　このことは運営者である厚生労働省も把握していて、現に「求人票と違う!と思ったら、「ハローワークホットライン」にお申し出ください」といったようなチラシも配布されています。これによりますと、平成25年の集計で、求人票と実際の処遇など労働条件が違っていた苦情は7,783件にのぼったとのことです。

　そして問題は、転職しようとしている保育士の間にも、このようなハローワークの実態に対する認識が広まっているのです。

　例えば保育士がハローワークで相談員に転職相談する場合、労働環境があまりよくない園を避けるため、「この園の労働環境は本当のところ良いですか?」と聞いたとしても、詳細な情報を得るのは難しいでしょう。ハローワークは保育専門の転職サイトとは違い、園特有の事情に詳しいわけではないのです。

　一方で民間の転職サイトは、他サイトとの競合が激しい中、園と保育士の双方から信頼されないと利用してもらえません。報酬をもらっているにもかかわらず、もし虚偽の求人情報を伝えたら、評判が大きく落ちておそらくもう二度とその転職サイトは使われなくなってしまいます。だからこそ、求人情報のヒヤリングは細かくおこない、各園の実態を詳細に把握することになります。これが保育専門の転職サイトが、園・保育者双方から信頼される理由なのです。

また、保育士がハローワークを利用しようとする場合、自分で最寄りのハローワークに行かなくては相談できません。しかしながらハローワークの営業時間は基本的に平日の17時半までです。忙しい現役の保育士にとってこれは非常に厳しく、なかなか行けないことも多いです。地域によって、大きなハローワークでは土曜も営業していることもありますが、当然ながら高い確率で混雑しています。

　求人をおこなう園側にとっては、採用にあたって報酬を支払う必要のないハローワークはありがたいものですが、以上のような理由により、現実には保育士が転職をしようとするときは、高い確率で民間の保育専門の転職サイトを活用することが多いと考えられるのです。したがって我々園の側としても、このような転職サイトを選択して求人情報を掲載し、保育士からの応募を待つのが基本になります。

　ただしハローワークには、数多く地元の情報を扱っているという長所もありますので、地元での就職を検討している保育士に出会える可能性という意味では、併用して求人情報を掲載することも良いと思います。


## 人材紹介の仕組み

　さて、転職したい保育士の多くは、具体的にどのようにして求人情報を探しているのでしょうか。まず大部分の方は、スマートフォンで検索して求人を探しています。
例えばキーワードは、「○○線沿線（働きたい場所）　保育士　求人」などでしょう。
試しにこのような形で検索をかけてみてください。たくさんの人材紹介会社の転職サイトのページにヒットするのがお分かりいただけると思います。

　人材紹介会社の業務は、園に対して、求人内容にマッチした人材を紹介するサービスです。人材紹介会社には、多くの転職希望の保育士が登録をしており、人材紹介会社は登録者に対して、あらかじめ労働条件の希望や将来のキャリアプランなどをヒヤリングしています。一方、園に対しても、求める職務経歴、人物像や採用目標人数などをヒヤリングしています。

　このような、園と保育者双方に対するヒヤリングをもとに、園のニーズに合致している登録者を紹介し、その後の面接・採用というステップを仲介するのが人材紹介会社なのです。

　この人材紹介という業務は、一般的に「成功報酬型」とよばれる料金体系をとっている場合が多いです。「成功報酬型」とは、一定の成功すなわち「成果」があった際に、料金が発生する仕組みです。

　「成果」にあてはまるものはさまざまですが、人材紹介では「採用結実」であることが多いです。つまり、人材紹介会社から紹介された人物の採用を決定し、本人からも入職の承諾をもらった段階で、はじめて料金が発生することになります。
　逆に言えば、採用が結実しなければ、何人紹介をしてもらっても、費用は発生しないわけですから、園としては遠慮せずに、どんどん候補者の面接を進めていけば良いということも言えるわけです。

　成功報酬としては「紹介料」という手数料を支払うことになります。「紹介料」は採用した人材の年収から算出されます。
　具体的には、採用した人材の年収のうち、何割かを紹介の手数料として人材紹介会社に支払います。

　この割合は人材紹介会社によってさまざまですが、ほとんどの会社は「届け出手数料制」を採用しており、2019年現在では保育士の紹介における相場は、年収の30%程度のところが多いようです。

人材紹介において、園側がおこなう具体的なフローは次のようになります。

## ①採用準備

　　求める人物像についての詳細な希望を人材紹介会社に伝えます。
その際は、「やる気がある人」「明るい人」といった漠然とした条件だけではなく、例えば「乳児クラスを担任できる中堅職員」「園運営の経験があり、将来は園長職も展望できるベテラン職員」など、できるだけ具体的な求人要件を伝えましょう。

　　また、園児から人気があり、他の職員・保護者から信頼の厚い保育士は、どのような人物なのか、自園での傾向を分析して伝えてもよいかもしれません。
同時に自園の理念や、保育における特徴についても、ぜひ伝えるようにしてください。
人材紹介会社が、求職者に対して園を紹介する際のアピールポイントになります。

## ②選考

　　人材紹介会社から、求める人物像に合った求職者を紹介してもらいます。
まずは紹介された求職者の情報を書面ベースで確認し、次に面接をおこないます。
　　なお、面接の日程調整や選考結果の連絡は、人材紹介会社が代行する場合もあります。

　　もし初めに紹介された人材が、何らかの理由で自園のニーズにマッチしていないために、採用に至らなかった場合は、人材紹介会社に対して、その候補者のどこが園のニーズと合わなかったのかについて、詳細なフィードバックをおこなうべきです。
　　それにより、さらに求人要件へのマッチング度が増す可能性が高くなります。

## ③採用内定

　1回または複数回の面接をおこない、園内で選考をした結果、園として共に働きたい人材だという判断に至れば、採用内定を出すことになります。

　内定を出す場合の、採用結果の通知等は人材紹介会社が代行するケースもありますが、採用通知書の作成・送付など、その後の実際の入職手続きは園側でおこなうこととなります。

　ただし、面接の際に処遇や労働環境について詳細な説明をした結果、候補者の方からの辞退というケースも当然にあり得ます。こういった場合は、仲介した人材紹介会社を通じて、自園のどこに内定を辞退された原因があったのかをしっかりとヒヤリングして、次回につなげることが大切です。

　人材紹介の仕組みについて、概要をお伝えしましたが、人材紹介会社を利用するうえでは、そのメリットとデメリットを理解して対応することが重要です。
ここでは、人材紹介のメリットとデメリットについて再度整理をします。

## メリット

### ①初期費用がかからない

　人材紹介は成功報酬型です。採用が結実した段階で費用が発生するので、初期費用をかけずに採用活動をおこなうことができます。
そのため、採用できなかった際にかかる費用がなく、納得のいくまで採用活動を続けることができます。

　さらに、入職した人材がごく早期で離職してしまった場合も、人材紹介契約の中の「返金規定」に基づいて、支払った手数料の一部が返還されるため、ある程度安心して採用することができます。
「返金規定」の詳細は人材紹介会社によって差はあるものの、入職後1～3か月で退職してしまった場合は紹介料の何割かが返金されることが多いようです。ここは実際に契約する際に注意して確認するべきポイントでもあります。

　ただしあまり頻繁に早期退職が起こるようであれば、園へのマッチングなどの部分で、その紹介会社の運営自体に何か問題があることも考えられますので、他の紹介会社に変更してみても良いかもしれません。
その意味でも、「成功報酬型」のメリットを活かし、一社に絞らずに複数の紹介会社に声をかける採用活動が良いと思います。

### ②採用担当者の負担が少ない

　人材紹介では、採用業務の一部を人材紹介会社が代行してくれます。採用の準備段階や手間がかかる日程調整、合否結果の連絡などを人材紹介会社が代行することも可能であるため、肝心の採用面接に注力することが可能です。

### ③質の高い人材を採用できる

　　人材紹介においては、あらかじめ園の求人要件を詳細にヒヤリングしたうえで、その要件に適合した人材をピックアップして紹介してもらえることから、より質の高い人材を採用することが可能です。

　　また、求人要件に合った人材を紹介してもらえることは、すなわち採用の確実性も高めることにも直結します。

## デメリット

### ①採用した人数分の費用が発生する

　　人材紹介では、前述のように採用が成功した際に費用が発生します。ということは、広告宣伝等とは違って、採用した人数分の費用がそれぞれかかるので、採用する合計人数が多い場合は、極めて費用が高額になってしまいます。

　　そのため、人材紹介を利用する際は、採用の目標人数と採用にかけられる予算との兼ね合いから考える必要があると言えます。

### ②求人要件や地域によっては採用が難しくなる場合もある

　　求人要件が同じ地域や業界の中で比較して相対的に高いレベルである場合、対象者となる候補者の数が減ってしまうため、採用が難しくなる可能性があります。
求人要件を洗い出す際には、同じ地域、業界の求人要件について、あらかじめリサーチしておくと良いかもしれません。

　　特に地域によっては登録者の数に偏りがある場合も考えられ、紹介できる母集団の人数が限られてしまうこともあり得ます。その意味では、それぞれの地域を得意とする人材紹介会社を利用する、地元情報に強いハローワークと併用する、等の対応が必要になってきます。

　　はじめは成功報酬方式である人材紹介会社を複数利用しながら、紹介実績を見つつ次第に絞り込んでいくといったやり方も良いと考えます。

# 5. 求人広告の利用

　求人広告は大きく分けて2種類あります。「Web広告」と、「紙媒体への広告」です。Web広告は、インターネット求人サイトに求人情報を掲載する方法で、紙媒体広告は新聞や情報誌、フリーペーパーなどに求人広告を掲載する方法です。

　どちらも、利用者・読者の数や層などの特性に応じて、ターゲットをある程度絞って情報を届けることが可能です。地域にかかわらず広く広告できるという点では、Web広告の方がより優れていますし、逆にエリアを絞った求人を行いたいときには、紙媒体が適していると言えます。

　また、Web広告と紙媒体広告ではその活用方法も大きく異なります。転職希望の保育士は、次の職場探しをする際、一般的に「賃金などの処遇」と「園の職場としての雰囲気」を重要視することが多いので、いかにこの部分を具体的かつ魅力的に伝えるかがポイントになります。

　紙媒体の広告では、どうしてもスペースが限られますが、Web広告であれば基本的な処遇条件以外にも、職場の雰囲気や先輩社員からのメッセージなどを、例えば写真等も含めたバラエティに富んだ情報として掲載することも可能です。

　その意味ではWeb広告は情報量が紙媒体に比べ圧倒的に多く、求職者が実際に働くイメージを持ちやすくなるので、「職場の雰囲気」をわかりやすく伝え、応募を促すという点で、よりアピール度は高いと言えます。

　ただし、紙媒体は受動的にふと目に入ることがありますが、Web広告は自ら能動的にインターネットを見ないと触れることが出来ません。そのため今よく活用される手法として、紙媒体広告とWeb広告を連動させて、「詳しくはWebで」と詳細の説明に誘導する方法もあります。

　インターネットを日常的に活用している若い保育士たちは、就職活動や転職活動の際、まずスマートフォンで情報収集します。その意味でもWeb広告に掲載すれば、いつでもどこでも求職者に求人を閲覧してもらえますし、応募受付も24時間可能です。

保育士側が求人サイトに会員登録する際には、年齢・性別・希望業務・希望年収などの情報をあらかじめ入力します。それらのデータをもとに、多様な検索を行ったり、園側から求職者にコンタクトをとることができたりなど、応募数を拡大するための様々なサービスを展開しているサイトもあります。

　また、このような求人サイトに自ら会員登録し、進んで求人検索をしている保育士には、能動的な活動を得意とする意欲的な人が多いと考えられることも特徴といえます。

　転職活動中の保育士のほとんどは、転職に伴い大きなリスクを感じるという結果が出ています。多くの人が挙げたリスクは、「入職前に考えていた仕事の環境や業務の内容と、実態が違う可能性がある」でした。

　入職してみないと実際に業務の内容が詳しくわからないことや、その園独自のルールなどの存在、また新たな人間関係に適応できるかどうかなどが不安視されているのです。

　だからこそ、転職希望者が転職にともなうリスクの軽減のために心がけていることとして、「応募前にしっかりとその園の仕事の内容・環境や雇用条件などを確認する」という意見が非常に多いです。

　情報は何でも「検索する」ことが当たり前になっている今の世の中で、「情報量が少ない」ことはそれ自体が不安要素になり、結果として「選ばれない」原因となることをご認識ください。

　求人広告の中の具体的な情報が不足していると、そもそも応募の際の検討対象にも上がらなかったり、たとえ応募してきたとしても、次の面接等のステップで基本的な雇用条件の確認に時間が取られたりと、お互いが人物像の見極め以外のことにエネルギーがかかり、結局双方とも入職・雇用の判断の決定に至らないで終わってしまうこともあります。また、特に仕事の内容についての情報が少ない場合や、各種雇用条件が不明瞭な場合は、「実態を開示できないブラック園かも…」と疑われてしまう可能性さえあるのです。

## 6. 園のホームページの活用

　このような環境の中、採用にかかわる情報発信もかねて、自園の採用サイト・ホームページを制作する園も増えています。

　背景には、スマートフォンの普及などによって、様々な情報を保育士が自ら手軽に入手できるようになったことが挙げられます。

　転職をした人のうち80％以上の方が、「仕事探し、パート探しの際、興味を持った法人のホームページや採用サイトを閲覧してから応募を決めた。」というアンケートもあります。

　つまり、求人広告等でその園に興味をもっても、すぐに応募を決めるわけではなく、まずは園のホームページや採用サイトを閲覧して、そこがどのような保育・教育をおこなっている園なのか、園内の雰囲気や保護者との関わり合い、地域での位置づけなどをよく調べてから、応募するかどうかの判断をしているということです。

　ところがそうやって検索をかけたときに、園のホームページが見当たらなかったり、あったとしてもかなり昔に作成されたまま、情報の更新もなされていなかったりしたらどうでしょうか。

　せっかく、採用広告の段階で自園に興味を持ち、もっと園のことが知りたいと思って園のホームページを訪れた入職希望者が、内容が古く、スマートフォンにも対応していないような作りのホームページを見ると、応募するかどうかの判断に役立つ情報が得られないことに加え、園のICTに対する取組み意識のレベルが想像されて、大きな失望を与えかねません。

　その結果応募自体を見送られてしまうようでは、それまで採用活動にかけたコストが無駄になってしまいます。今やホームページはネットにおける「園の顔」とも言える存在なのです。

　これによって保育者募集や園児募集に効果を上げることができれば、トータルの求人広告費自体を抑えることも可能です。これからの採用活動に欠かせない、有力な情報発信ツールとして、ホームページ・採用サイトの充実を強くお勧めいたします。

# 7. 人材派遣の活用

## 人材派遣とは

　人材派遣とは、言うなれば人材派遣会社が雇用する派遣スタッフを、「時給いくらでこの期間務めてほしい」というように条件を定めて、一時的に「借り受ける」方法です。

　そのため、一般的な人材派遣においては、その派遣スタッフがそのまま自園の職員として園に雇用されるわけではありません。

　園は正社員保育士やパート保育士とは直接雇用契約を結んでいますが、派遣会社を利用した場合は、その「派遣保育士」が雇用契約を結ぶ雇用主は「派遣会社」であり、「派遣先の園」は、実際に仕事をする「勤務場所」となるわけです。

　「派遣会社」は給料の支払や社会保険等の福利厚生、仕事や就業条件の紹介、派遣先の園との様々な交渉、スキルアップ研修などを通じて、自社の職員である派遣保育士をサポートします。

　一方の「派遣先の園」は人材派遣会社と労働派遣契約を結び、人材を派遣してもらう代わりに派遣料金を支払います。そして自園に派遣された派遣保育者に対して、業務上の指揮命令をおこなうことになります。

## 「一般派遣」と「紹介予定派遣」

　人材派遣には、「一般派遣」「紹介予定派遣」の二種類があります。
通常「派遣社員」と呼ばれているのはこの一般派遣のことであり、上記の説明の通り人材ニーズのある園の希望や条件と、働く人の希望や条件をマッチングして、勤務場所や勤務時間を選ぶことができる、自由度の高い労働力の提供方法と言えます。

　「派遣保育士」を利用する園としてのメリットは、必要な期間だけ・必要な人数だけを雇用することが可能な点、これにより教育にかかる費用の削減が可能となる点、および採用活動にかかる手間とコストを削減できる点があげられます。

　一方で、一般派遣においては、派遣スタッフの年齢や性別を指定することや、人物を選別する目的での派遣スタッフとの事前面接や履歴書の確認などは認められていません。

　この派遣保育士を選べないことと、あくまで臨時的な期間雇用であるため、長期的な視野に立った自園の職員としての育成が難しいことなどがデメリットと言えます。

園は人材派遣会社に対し、派遣会社が派遣スタッフに支払う賃金に一定のマージンを乗せた金額を派遣料金として支払うことになります。マージンの中には、派遣会社が負担する社会保険料、労働保険料、福利厚生費、教育研修費などと、派遣会社の利益部分が含まれています。このマージンの割合は派遣会社ごとに多少違いますが、大手の派遣会社の平均で30％程度となっています。

　どうしても正職員雇用に比べて割高になるのは否めないので、一定期間のみ即戦力を必要とするような場合や、緊急で欠員の補充をしたい場合などに検討すると良いでしょう。

　もうひとつの「紹介予定派遣」は、派遣先の園に将来直接雇用されることを前提に、一定期間派遣社員として就業し、派遣期間の終了時に派遣保育士と派遣先の園が合意すれば、正社員保育者やパート保育者としての採用が決まる、という方式です。派遣期間は最大で6か月程度に設定されることが多いようです。

　「自分に合った職場で働きたい」求職保育士と、「いい保育人材を採用したい」園が、派遣期間中にお互いを見極めたうえで、正社員としての採用判断をすることが出来るのが、最大のメリットと言えます。

　ただし紹介予定派遣はあくまで双方の合意のもとで直接雇用となるため、必ず直接雇用に至るわけではありません。ちなみに「平成29年度 労働者派遣事業報告書の集計結果報告」（厚生労働省）によると、紹介予定派遣を利用した人の中でその後直接雇用された人は50％程度となっています。

# 第2章

# 保育士の安定確保のための園の取り組み

　今まで述べてきたように、園として優秀な保育士を確保するためには、様々な採用手法を工夫して活用していく必要があります。

　「保育士資格を保有している人が園への就職を希望しない理由」や、「現役の保育士が、園という職場を去る理由」で一番大きなものは、「賃金の水準が希望と合っていないこと」です。

　ここについては既に社会問題化され、国会でも大きく取り上げられた結果、様々な処遇改善策が順次導入されているところです。


　しかしながら、これに次ぐ理由として多くの有資格者や退職保育士は、「仕事における責任が重いこと」、「園内の人間関係が難しいこと」、「休暇が少ない、休暇がとりにくいこと」などを指摘しています。(アンケートの詳細については第3章で解説します。)

　つまり、「保育士になりたくない理由」として、常日頃から園の保育の現場の中で起こっていることそのものをあげているのです。

　ということは、国の施策などによる、処遇改善などの対応策だけではなく、園など施設の側からも積極的かつ自主的に、保育士確保のための対策を打ち出していくことが、必要不可欠であると言えます。


　そしてこれらの項目に対する対策は、新たな保育者の採用に必要であるだけではなく、すでに在籍している保育者の退職防止の観点からも、同様に重要な項目です。

# 1. 処遇改善

　保育士の採用にあたって、結果に繋げるために必要と考えられるのは、まずは「給料を上げること」です。

　厚生労働省が発表した「平成28年賃金構造基本統計調査」によりますと、保育士の年収は男女計で327万円、男性は364万円、女性は325万円でした。一方で全職種平均では男女計で490万円、男性は549万円、女性は376万円でした。

　全職種平均と保育士では、平均年齢で6歳、勤続年数で4年の差がありますので、一概に公平な比較とは言えませんが、それでも実額として男女計で163万円、女性だけを見ても51万円の格差が依然として存在するのです。

　後で詳しく述べますが、国も保育士の待遇改善が大きな課題であると捉え、その改善に力を入れています。

　そして平成31年以降も給与アップのための政策が順次導入される予定ですが、現場の保育士が満足する水準の給与が支給されているとは、まだ言えない実態があります。

　保育士確保のためには、まずは処遇の改善は大きなポイントです。ただし、園としても限られた予算の中で運営している以上、給料を増やせばそれですべてが解決するわけではありません。

## 保育士の平均賃金等について

| | 男女計 | | | 男 | | | | 女 | | | |
|---|---|---|---|---|---|---|---|---|---|---|---|
| | 平均年齢 | 勤続年数 | きまって支給する現金給与額 | 構成比 | 平均年齢 | 勤続年数 | きまって支給する現金給与額 | 構成比 | 平均年齢 | 勤続年数 | きまって支給する現金給与額 |
| 全職種 | 42.3年 | 11.0年 | 323.9千円 | 58.3% | 42.1年 | 11.4年 | 341.7千円 | 41.7% | 41.2年 | 8.8年 | 266.2千円 |
| 保育士 | 36.8年 | 8.1年 | 239.3千円 | 5.8% | 32.0年 | 5.9年 | 260.3千円 | 94.2% | 37.1年 | 8.2年 | 238.0千円 |
| 幼稚園教諭 | 33.7年 | 8.0年 | 241.3千円 | 4.6% | 37.4年 | 10.6年 | 298.0千円 | 95.4% | 33.5年 | 7.9年 | 238.6千円 |
| 看護師 | 39.3年 | 8.2年 | 331.9千円 | 10.3% | 36.9年 | 7.6年 | 341.3千円 | 89.7% | 39.6年 | 8.3年 | 330.8千円 |
| 福祉施設介護員 | 41.9年 | 7.0年 | 239.7千円 | 35.8% | 39.0年 | 6.8年 | 254.7千円 | 64.2% | 43.5年 | 7.2年 | 231.4千円 |
| ホームヘルパー | 46.8年 | 7.5年 | 241.1千円 | 21.7% | 40.1年 | 6.0年 | 259.1千円 | 78.3% | 48.6年 | 7.8年 | 236.2千円 |

【年収換算・月収換算した賃金】

| | 男女計 | | 男 | | 女 | |
|---|---|---|---|---|---|---|
| | 年収換算 | 月収換算 | 年収換算 | 月収換算 | 年収換算 | 月収換算 |
| 全職種 | 497.2万円 | 41.4万円 | 558.5万円 | 46.5万円 | 382.6万円 | 31.9万円 |
| 保育士 | 357.9万円 | 29.8万円 | 382.7万円 | 31.9万円 | 356.4万円 | 29.7万円 |

(出典) 平成30年賃金構造基本統計調査
(※)「年収換算」:平成30年賃金構造基本統計調査における「きまって支給する現金給与額」に12を乗じ、「年間賞与その他特別給与額」を足した額
(※)「月収換算」「年収換算」を12で割った額
(※)「きまって支給する現金給与額」とは、労働協約又は就業規則などにあらかじめ定められている支給条件、算定方法によって6月分として支給される現金給与額のこと。手取額でなく、税込み額である。現金給与額には、基本給、職務手当、精皆勤手当、家族手当が含まれるほか、時間外勤務、休日出勤等超過労働給与も含まれる。

## 「保育士数」と「保育士の年収」の推移

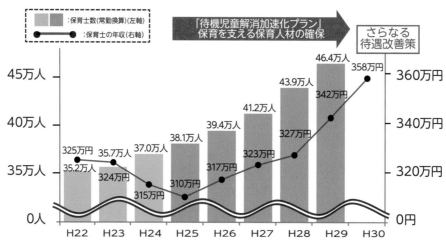

【出典】首相官邸（2019）「保育士数」と「保育士の年収」の推移
※「保育士数」は「社会福祉施設等調査（厚生労働省）」による、各年10月1日時点の保育施設に従事する保育士の数（常勤換算従事者数）。
※ 平成27年以降は、保育教諭（主幹保育教諭、指導保育教諭、助保育教諭、講師を含む）及び小規模保育事業所における保育従事者及び家庭的保育者のうち、保育士資格保有者の数を含む。
※「保育士の年収」は、「賃金構造基本統計調査（厚生労働省）」における各年6月の月収と前年の賞与から算出。

## 2. 働き方改革の推進

　処遇と同様に極めて重要なポイントは、働く環境の整備です。

　有資格にもかかわらず、保育士としての就業を希望しない求職者へのアンケートにおいて、処遇に次いで上位にあげられていた項目が、「自身の健康・体力への不安」、「休暇が少ない・休暇がとりにくい」でした。

　園においても「働き方改革」に取り組んで、メリハリある勤務体制を確立し、長時間の残業や休日出勤、あるいは持ち帰り仕事をしなければならない状況などを徹底して見直して、働きやすい職場環境を作っていくことが大切です。

　それでは具体的に私たちの職場で、どのように「働き方改革」をおこなっていけばよいのでしょうか。

　大きなポイントは三つあると考えています。

　一つ目は、会議の見直し。二つ目は書類の見直し。三つ目は行事の見直しです。

### 会議について

　一つの例として、私どもの園では夕方や夜間の時間帯にやっていた打ち合わせや会議を朝や日中の時間帯に移動しました。

　保育士のシフト勤務の関係で会議に参加できない人がいるのはやむを得ないと割り切って、議事録や管理者からの伝達によって情報を共有するように変えています。

　またどんな会議でも最長1時間、全園の園長が集まる園長会も研究保育の研修会も、1時間で終えます。

　逆に1時間で終われるようあらかじめ資料を配布し情報を共有したうえで、会議では議論のみに時間を使えるよう工夫しています。

　書類仕事について申しますと、私どもの園ではICT化を徹底して進めています。基本的にノートパソコンを保育士一人につき1台支給しています。データ化・情報の共有化によって時間を確保しつつ、次に意識改革を進めていく予定です。

　まだ始めたところですが、この分野で先行している園ではICTのおかげで「残業ゼロ・持ち帰り仕事激減」が実現したとの話もあります。

　事務作業のための残業は、直接子どもに寄り添っている時間ではないので、ここを効率化して残業を減らしても、保育の質には全く影響がないというのも、強くお勧めするポイントです。

　毎日忙しい先生方に少しでも早く帰っていただき、明日への活力を養ってもらわないと、残業と持ち帰りで燃え尽きて、せっかく採用した保育士がついには短期間で退職という最悪の結末を防止するためにも、ぜひお考えいただきたいと思います。

　ご承知のように保育士の仕事は、1日の半分近くを事務作業が占めています。登降園の記録から始まって、保護者からの遅刻や欠席の電話連絡対応、延長保育の計算や保護者への請求書発行、その入金管理も現金で保育士が担当している園が少なくありません。

　書類仕事も多く、週案や月案などの指導計画作成、保育日誌や報告書の作成、検温や午睡・排便などのチェックと記録など、山のような事務作業があります。
保育園は預かり時間が長いため、こうした作業になかなかまとまった時間を取れないのが現実です。このためお帰りの時に保護者に渡す日誌もお昼にしか書けず、午後の様子はほとんど記入できないといったことが起こります。

　また園においては、手書きや手作りが伝統的に尊ばれることが多く、これが残業や持ち帰り仕事に直結していると考えられます。

　従来からこのような環境で育ってきた保育士の方は、いきおいパソコン作業に不慣れな方が多いです。また月案や週案の内容も園ごとに独自の文化があるため、昨年の内容や参考書などを見ながら作成されているケースが多く、ICT化がなかなか進まない原因の一つと言えます。

　こういったことを解消するべく、様々な保育業務のサポートを可能とするICT商品を導入して園で活用して、さらに働き方改革に役立てるべきです。

## 行事について

　行事についても、同様のことが言えます。

　多くの園で、おそらく季節ごとのいろいろな行事が組み込まれた年間スケジュールにそって、保育を実践しておられると思います。

　園としての独自性や特徴を出すために、行事に力を注いで先生方で協力して良いものを作り上げる。それを保護者に見てもらうことで子どもの成長を実感してもらい、園との良好な関係をさらに強いものにする。

　その良い面を否定するものでは全くありませんが、今まで申し上げてきたような環境の変化を踏まえると、行事にも切り込んで見直しをできるところがないか、手作りではなく購入できるもので代用できないのか、同じ法人の中の複数園で使いまわせるものはないのかなど今一度お考えいただけたらと思います。先生方の創作にかかる時間は決して無償のサービスではありません。

　それが「保育士に就業しない理由」アンケートで、特に20〜30代に多かった、「休暇が少ない・休暇がとりにくい（37.0％）」、「就業時間が希望と合わない（26.5％）」への有効な対策となるのです。

　また、同様に30代で多い「子育てとの両立がむずかしい（26.0％）」という退職理由に対しても、例えば自分自身の子どもが学校に行っている時間帯でのパート勤務を可能とすれば、園として貴重なベテランのエネルギーを失うことなく、有効に活用できると考えられます。

# 3. 園内の対人関係

　保育者の「園を選んだ理由」、「園を辞めた理由」のどちらにも、常に上位でランクインするのがこの園内の対人関係です。

　保育者同士の人間関係が良ければ、おのずとその園の保育者自身の「学び」と保育の質は良くなり、その結果質の良い保育者が育ち、なかなか辞めない強い体制ができます。そしてこれは選ばれる園になるために大切な要素の一つです。

　子どもたちの育ってきた環境がひとりひとり違うように、保育者も保育経験も学んできた環境も違うために、保育のやり方に違いがあります。

　様々な保育観があり絶対の正解というものは無いとはいえ、経験の少ない保育者に対して、先輩から指導をする場面もあると思います。

　その指導を後輩が「今まで気が付かなかったけどやってみたらこの方が良い」と前向きに受け止めるのか、「いちいち後輩のやることに口を出してうるさい」と否定的に受け止めるのかは、伝え方にもよりますが何より園の中での基本となる人間関係が保育者同士でできているかが大きな分かれ目になります。

　先輩後輩の間にお互いに良いところは取り入れてみんなの保育を向上させる、という意識が園全体としてできているか、そこが何より大切です。

　意見が違った時に先輩は後輩の言う事であっても、まずは一旦聞き入れて考え、正しいことは正しいと判断する公平なスタンスをとっているか、一方で後輩は先輩の言う事をまず聞き、自分のやり方にこだわるのではなく進んでノウハウを取り入れる柔軟性を持っているか、このあたりが園全体としてより良い保育を提供できるかどうかの大きなポイントだと思います。

　また昨今は、園の中においても「パワハラ」「セクハラ」といった問題が起こっています。職場のパワハラとは、「優越的な関係を背景とした、業務上必要かつ相当な範囲を超えた言動により、就業環境が害されること」を言います。

優越的な関係とは、単に役職の上下だけではなく立場や能力も含むので、ケースによっては役職が下のものから上のものへのパワハラもありえることになります。

厚生労働省が発表したパワハラの行為類型は、
①身体的な攻撃、②精神的な攻撃、③人間関係からの切り離し、④過大な要求、⑤過小な要求、⑥個の侵害、の6つですが、もちろんこれだけがパワハラということではありません。
　例えば園内で複数の職員がある上司に対して、「その日の気分次第で指示や言うことが変わる」、「気に入らないことがあると、怒鳴ったり不機嫌な態度を取ったりする」、「好き嫌いで人を判断して対応を変えている」というように感じたとしたら、たとえその本人が「自分の行為はパワハラではない」と考えていたとしても、園としては対応が必要になるのです。

　セクハラも同様です。
厚生労働省では、セクハラを「職場において行われる、労働者の意に反する「性的な言動」によりその労働者が不利益を受けたり、「性的な言動」により就業環境が害されること」と定義していますが、やはりセクハラをおこなっている側の職員は、自覚がないままに同僚に対してプライベートに踏み込みすぎた発言をしたり、あるいは交際を迫ったり、ということも起こっています。

　これらの中には、職員間のコミュニケーションの不足から起こっているトラブルもあるかもしれませんが、職員がコミュニケーションの努力をつくしても、それでも改善が見られないような場合は、すみやかに園の責任者や総務部門が主導して解決を図ることが必要です。
　また、我々管理者自身も例外ではなく、常に逆の立場でも考えるようにしてください。「もしかしたら自分の不用意な言動が職員のだれかを傷つけていないか」と思い当たる時は、ぜひ振り返ってみてください。
　そしてその言葉や行動について、例えば自分自身が最も大切に想う人の前でも、同じことが出来るのかと考えてください。もし、両親、家族、恋人、子どもたちの前ではとてもできない行為なのであれば、今すぐに改めるべきです。本来コンプライアンスというのは、決められたことを守るだけではなく、「常に自らの良心に照らして恥じない行動をとる」ということなのです。

# 4.「働きがい」(モチベーション)アップ

保育士確保のためのポイントの最後は「働きがい」アップです。

2. では「働き方改革」について説明いたしましたが、「働き方改革」と「働きがい」は、どのような関係にあるのでしょうか。

フレデリック・ハーズバーグというアメリカの臨床心理学者が唱えた「二要因理論(動機付け理論)」をご存知の方も多いのではないでしょうか。これは"満足を感じる要因と不満足を感じる要因は別のものである"つまり、仕事において満足を感じる要因と不満足を感じる要因は異なるとする考えです。満足を感じる要因は"動機づけ要因"、一方で不満足を感じる要因は"衛生要因"と呼ばれています。

ハーズバーグによると、"動機づけ要因"には、「仕事の達成感」、「責任範囲の拡大」、「能力向上や自己成長」、「チャレンジングな仕事」などが含まれ、一方の"衛生要因"には、「会社の方針」、「管理方法」、「労働環境」、「作業条件(給与・時間・役職)」などが含まれるとされています。

そしてこれらの不満足な状態を解消したからといって、それが必ずしも直ちに満足につながるわけではないとしています。

「働き方改革」におけるテーマは、働く時間の見直し、休暇の取得促進、生産性・効率性向上に関する議論が中心となっていました。

実際に多くの園からは、「全園をあげて残業削減に取り組んでいます」、「有給取得率をあげることが今年のテーマです」、「効率性をあげるための業務改革をおこなっています」という声をよくうかがいます。

こういった項目は、まさにハーズバーグの二要因理論で言うところの「管理方法」や「作業条件」に関連するテーマであり、「衛生要因」の一部であると言えます。「働き方改革」は非常に重要で避けては通れないものですが、「働き方改革」の推進だけでは、「職場への不満足」の要因を取り除けはしますが、それがイコール「職場への満足度」を上げることにはならないということなのです。

職場に対する満足度を上げて、「働きがい」(モチベーション)を高めるためには、「働き方改革」とセットでハーズバーグの言う"動機づけ要因"についてのアプローチを行う必要があるのです。

## 職場での満足を招いた要因

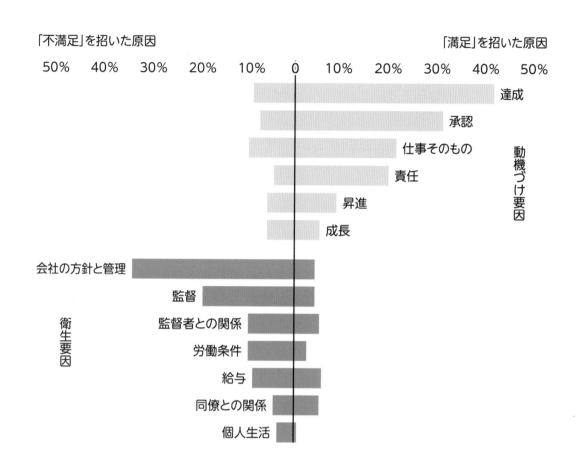

「不満足」を招いた原因　　　　　　　　　　　　　　　「満足」を招いた原因

【注】
「０」を基準に満足値・不満足値が外に行くほど大きくなります。
例えば「達成」:目標の達成や「承認」:上司からの承認は、大きな満足をもたらしますが、
欠けていても不満足はそれほど大きくありません。
一方で「給与」や「労働条件」は高くてもそこそこの満足しかありませんが、少ないと
大きな不満足が生まれます。

　「働き方改革」だけでは進め方を間違えると、場合によっては「働きがい」を損ねる結果にも
なりかねません。「働き方改革」を進めた結果、「働きがい」が下がってしまっては本末転倒です。

　「働き方改革」そのものを目的とするのではなく、「働き方改革」をなぜ進めるのか、職員に
何を期待するのか、園は何を実現したいのかについて、しっかりと整理することが重要です。

## 「働き方改革」と「働きがい」

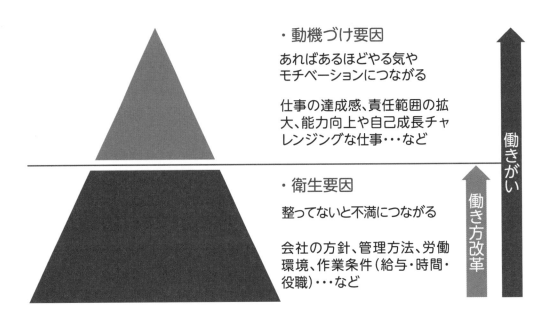

・動機づけ要因
あればあるほどやる気や
モチベーションにつながる

仕事の達成感、責任範囲の拡
大、能力向上や自己成長チャ
レンジングな仕事・・・など

・衛生要因
整ってないと不満につながる

会社の方針、管理方法、労働
環境、作業条件(給与・時間・
役職)・・・など

働きがい

働き方改革

フレデリック・ハーズバーグ:「二要因理論」

　「働きがい」を引き出すには、達成感や、承認、責任、自己成長といった「動機づけ要因」
にアプローチしなくてはなりません。
　これを園の運営に即して考えると、給与が希望より低かった場合や長時間残業など
で職場環境が良くなかった場合、不満足感は募りますが、これが改善されたとしても
満足感の上昇はそれほど大きくないと考えられます。

　この場合、職員の「働きがい」を高めるために必要なことは、しっかりとした経営理
念に基づいて業務を任せ、仕事の達成感を感じさせてあげること、「よくやった」と本
人の努力を承認してあげることです。
　また更に言えば、日々の保育を通じ「自分の成長」を実感できるようにすること、そ
れに見合った責任のある仕事を任せてあげること、そして努力の結果として昇進の道
筋を作ってあげることなどが考えられます。

例えば任された行事がうまくいったり、希望の業務についたりといった「動機づけの要因」は、経験に照らし合わせて考えていただくとお分かりかと思いますが、仕事への満足度、「働きがい」はかなり上がります。先ほど申し上げたように、人間にはもっと成長したいという欲求が根本にありますので、次も頑張ろうという意欲にもつながっていきます。

　「衛生要因」、例えば労働環境の代表例として園内の人間関係について、風通しの良い職場づくりを心がけ、管理者が現場の保育士の声をしっかりと聞き、チームとして良い人間関係をつくることなどがベースにあって、それをしっかりと対応したうえで、「動機づけ要因」を充実させることで、仕事への満足度が高まり、かつ持続していくのです。

# 第3章

保育士採用をめぐる環境～厚労省調査より～

## 1. 人材不足の現状について

　厚生労働省が平成26年度に発表した「保育人材確保のための「魅力ある職場づくり」に向けて」によると、平成29年度の国内で必要な保育士の数は約46万人とされていました。

　一方で供給はどうなっているかというと、保育所における保育士の離職率などを考慮して試算すると、毎年38.6万人ほどの保育士が保育園に就職しています。
ということは、この差分である7.4万人の保育士が、依然不足ということになるわけです。

　厚生労働省の調査によると、保育士の有効求人倍率は1月にピークを迎え、平成26年度1月の全国平均は1.74倍となりました。

　そして、その後も毎年ピークを更新し続け、平成27年度1月2.44倍、28年度1月2.76倍、29年度12月3.40倍、30年度1月3.64倍、そしてデータ上最新の令和元年度10月でも、ピーク前の時期であるにもかかわらず、3.05倍となっています。

### 保育士の有効求人倍率の推移（全国）

出典：厚生労働省　一般職業紹介状況（職業安定業務統計）

○直近の令和元年度10月の保育士の有効求人倍率は3.05倍（対前年同月比で0.07ポイント上昇）となっており、高い水準で推移している。

※全職種の有効求人倍率は、実数である。　　※保育士の有効求人倍率について、各年度の最も高い月の数値を記載している。

また、都道府県別にみると、大都市圏を中心に求人倍率の高いエリアが多くなっており、すべての都道府県が保育士の求人倍率が1倍を超えています。

## 平成30年及び令和元年における保育士の各都道府県別有効求人倍率等の比較(各年10月時点)

平成30年10月時点

| | 新規求職申込件数 | 有効求職者数 | 新規求人数 | 有効求人数 | 有効求人倍率 |
|---|---|---|---|---|---|
| 全国 | 4,556 | 18,490 | 21,695 | 55,073 | 2.98 |
| 北海道 | 243 | 971 | 995 | 2,324 | 2.39 |
| 青森 | 57 | 245 | 210 | 538 | 2.2 |
| 岩手 | 81 | 227 | 176 | 428 | 1.89 |
| 宮城 | 87 | 330 | 494 | 1,287 | 3.9 |
| 秋田 | 43 | 157 | 80 | 263 | 1.68 |
| 山形 | 55 | 170 | 129 | 373 | 2.19 |
| 福島 | 81 | 255 | 251 | 581 | 2.28 |
| 茨城 | 97 | 339 | 333 | 1,086 | 3.2 |
| 栃木 | 81 | 281 | 367 | 854 | 3.04 |
| 群馬 | 90 | 337 | 155 | 423 | 1.26 |
| 埼玉 | 189 | 877 | 1,483 | 4,297 | 4.9 |
| 千葉 | 136 | 688 | 574 | 1,707 | 2.48 |
| 東京 | 342 | 1,500 | 3,319 | 8,787 | 5.86 |
| 神奈川 | 218 | 1,027 | 1,098 | 3,297 | 3.21 |
| 新潟 | 101 | 331 | 312 | 686 | 2.07 |
| 富山 | 28 | 123 | 119 | 295 | 2.4 |
| 石川 | 41 | 154 | 106 | 321 | 2.08 |
| 福井 | 30 | 99 | 118 | 245 | 2.47 |
| 山梨 | 64 | 181 | 115 | 402 | 2.22 |
| 長野 | 98 | 313 | 262 | 540 | 1.73 |
| 岐阜 | 80 | 329 | 208 | 545 | 1.66 |
| 静岡 | 108 | 412 | 755 | 1,439 | 3.49 |
| 愛知 | 167 | 928 | 1,004 | 2,450 | 2.64 |
| 三重 | 51 | 205 | 203 | 587 | 2.86 |
| 滋賀 | 61 | 257 | 302 | 631 | 2.46 |
| 京都 | 90 | 396 | 414 | 1,069 | 2.7 |
| 大阪 | 313 | 1,257 | 2,645 | 5,241 | 4.17 |
| 兵庫 | 229 | 864 | 698 | 2,197 | 2.54 |
| 奈良 | 49 | 178 | 243 | 463 | 2.6 |
| 和歌山 | 22 | 111 | 126 | 260 | 2.34 |
| 鳥取 | 37 | 119 | 135 | 407 | 3.42 |
| 島根 | 31 | 141 | 112 | 301 | 2.13 |
| 岡山 | 103 | 389 | 249 | 773 | 1.99 |
| 広島 | 106 | 387 | 636 | 1,642 | 4.24 |
| 山口 | 68 | 262 | 153 | 375 | 1.43 |
| 徳島 | 41 | 116 | 168 | 373 | 3.22 |
| 香川 | 43 | 154 | 83 | 311 | 2.02 |
| 愛媛 | 42 | 240 | 225 | 572 | 2.38 |
| 高知 | 32 | 131 | 83 | 185 | 1.41 |
| 福岡 | 212 | 1,010 | 785 | 2,256 | 2.23 |
| 佐賀 | 49 | 211 | 133 | 313 | 1.48 |
| 長崎 | 90 | 295 | 216 | 519 | 1.76 |
| 熊本 | 68 | 311 | 198 | 615 | 1.98 |
| 大分 | 39 | 216 | 227 | 487 | 2.25 |
| 宮崎 | 67 | 230 | 170 | 469 | 2.04 |
| 鹿児島 | 133 | 495 | 374 | 905 | 1.83 |
| 沖縄 | 63 | 241 | 454 | 954 | 3.96 |

令和元年10月時点

| | 新規求職申込件数 | 有効求職者数 | 新規求人数 | 有効求人数 | 有効求人倍率 |
|---|---|---|---|---|---|
| 全国 | 4,203 | 18,405 | 21,531 | 56,081 | 3.05 |
| 北海道 | 213 | 911 | 1,327 | 2,798 | 3.07 |
| 青森 | 37 | 216 | 162 | 407 | 1.88 |
| 岩手 | 75 | 227 | 216 | 439 | 1.93 |
| 宮城 | 88 | 354 | 540 | 1,311 | 3.7 |
| 秋田 | 36 | 176 | 97 | 305 | 1.73 |
| 山形 | 49 | 182 | 126 | 407 | 2.24 |
| 福島 | 66 | 232 | 239 | 588 | 2.53 |
| 茨城 | 83 | 339 | 367 | 1,174 | 3.46 |
| 栃木 | 60 | 277 | 353 | 868 | 3.13 |
| 群馬 | 68 | 300 | 147 | 396 | 1.32 |
| 埼玉 | 181 | 868 | 1,122 | 3,657 | 4.21 |
| 千葉 | 115 | 686 | 678 | 1,966 | 2.87 |
| 東京 | 306 | 1,563 | 3,106 | 8,173 | 5.23 |
| 神奈川 | 180 | 932 | 1,343 | 3,289 | 3.53 |
| 新潟 | 76 | 333 | 298 | 696 | 2.09 |
| 富山 | 19 | 106 | 100 | 332 | 3.13 |
| 石川 | 31 | 130 | 101 | 358 | 2.75 |
| 福井 | 16 | 71 | 87 | 241 | 3.39 |
| 山梨 | 47 | 151 | 99 | 300 | 1.99 |
| 長野 | 95 | 301 | 210 | 529 | 1.76 |
| 岐阜 | 65 | 285 | 199 | 558 | 1.96 |
| 静岡 | 112 | 476 | 385 | 1,296 | 2.72 |
| 愛知 | 179 | 871 | 1,053 | 2,557 | 2.94 |
| 三重 | 67 | 230 | 283 | 714 | 3.1 |
| 滋賀 | 61 | 285 | 309 | 640 | 2.25 |
| 京都 | 75 | 372 | 397 | 1,329 | 3.57 |
| 大阪 | 236 | 1,239 | 2,455 | 5,086 | 4.1 |
| 兵庫 | 181 | 887 | 761 | 2,352 | 2.65 |
| 奈良 | 45 | 199 | 176 | 531 | 2.67 |
| 和歌山 | 29 | 120 | 86 | 214 | 1.78 |
| 鳥取 | 25 | 104 | 218 | 538 | 5.17 |
| 島根 | 41 | 153 | 94 | 249 | 1.63 |
| 岡山 | 100 | 353 | 308 | 810 | 2.29 |
| 広島 | 101 | 427 | 654 | 1,778 | 4.16 |
| 山口 | 69 | 245 | 164 | 453 | 1.85 |
| 徳島 | 39 | 108 | 173 | 385 | 3.56 |
| 香川 | 42 | 167 | 158 | 378 | 2.26 |
| 愛媛 | 51 | 216 | 129 | 414 | 1.92 |
| 高知 | 30 | 142 | 102 | 207 | 1.46 |
| 福岡 | 239 | 1,018 | 898 | 2,385 | 2.34 |
| 佐賀 | 51 | 212 | 118 | 315 | 1.49 |
| 長崎 | 87 | 320 | 193 | 503 | 1.57 |
| 熊本 | 112 | 408 | 320 | 883 | 2.16 |
| 大分 | 49 | 203 | 172 | 431 | 2.12 |
| 宮崎 | 69 | 236 | 191 | 515 | 2.18 |
| 鹿児島 | 131 | 457 | 392 | 1,174 | 2.57 |
| 沖縄 | 76 | 317 | 425 | 1,152 | 3.63 |

出典:厚生労働省「職業安定業務統計」

# ２. 保育士の就業動向について

　一方、保育士養成施設で保育士資格を取得したとしても、実際に保育園に就職するのは約半数にすぎません。さらに、実際に保育士として働いている人たちの半数が勤続年数5年未満に離職と、早期離職の傾向も顕著になっています。

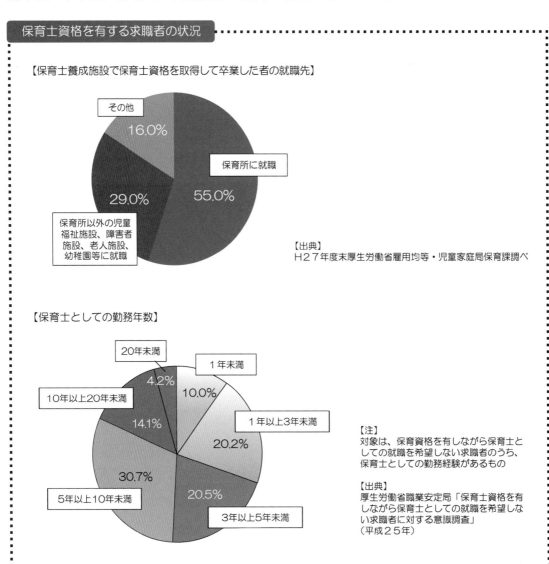

保育士資格を有する求職者の状況

【保育士養成施設で保育士資格を取得して卒業した者の就職先】

- その他 16.0%
- 保育所に就職 55.0%
- 保育所以外の児童福祉施設、障害者施設、老人施設、幼稚園等に就職 29.0%

【出典】
H27年度末厚生労働省雇用均等・児童家庭局保育課調べ

【保育士としての勤務年数】

- 20年未満 4.2%
- 1年未満 10.0%
- 10年以上20年未満 14.1%
- 1年以上3年未満 20.2%
- 5年以上10年未満 30.7%
- 3年以上5年未満 20.5%

【注】
対象は、保育資格を有しながら保育士としての就職を希望しない求職者のうち、保育士としての勤務経験があるもの

【出典】
厚生労働省職業安定局「保育士資格を有しながら保育士としての就職を希望しない求職者に対する意識調査」
（平成25年）

　ここから、我が国では、保育士資格を持っている人の中で、約5割が初めから「潜在保育士」であり、実際に保育園に就職した残りの5割の保育士のうち、約5割が5年以内に退職してしまう、という構図がわかります。

## ▌3. 背景にあるもの

　保育士資格を有しているにもかかわらず、実際に保育園に就職する人の割合は約5割という衝撃的な実態の背景は、例えば地域によって保育園への就職試験が難しいとか、そもそも募集人員が少ないといった「保育園での勤務を希望はしていたが就職できなかった」というケースはほとんどないと考えられます。

　外部の要因ではなく、保育士資格を取得した人の約5割は、そもそも求職先に保育園を望んでいない。言い換えれば保育士としての就業を望んでいないのです。

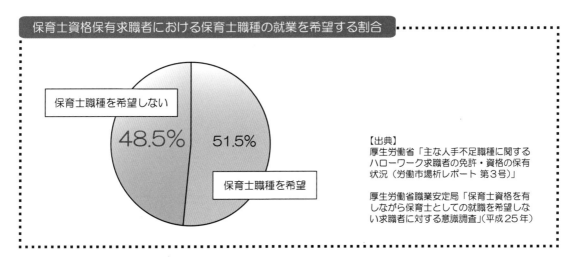

保育士資格保有求職者における保育士職種の就業を希望する割合

保育士職種を希望しない　48.5%　51.5%　保育士職種を希望

【出典】
厚生労働省「主な人手不足職種に関するハローワーク求職者の免許・資格の保有状況（労働市場分析レポート 第3号）」

厚生労働省職業安定局「保育士資格を有しながら保育士としての就職を希望しない求職者に対する意識調査」(平成25年)

　それでは資格保有者が保育士として就職したいとは考えない理由は何でしょうか。厚労省では、ハローワークの保育士資格を有する求職者のうち、半数が保育士としての就業を希望していないことに着目して、資格を保有しているのに保育士としての就業を希望しない求職者に対する意識調査を実施し平成25年に公表しました。

　その結果について詳しく分析していきます。
この調査は、具体的には80か所の職業安定所において、2033名の対象者を無作為抽出してアンケートを実施しました。(回答者数958名、回収率47.1%)

　回答者は、保育士としての勤務経験がある者が668人(69.7%)、ない者が290人(30.3%)であり、約3割の者が保育士としての勤務経験がないにも関わらず、保育士としての就業を希望していませんでした。

　また、経験がある者でも、勤務年数は5年未満が 50.7%となっていました。
そして、保育士としての就業を希望しない理由には、過去の勤務経験の有無による大きな差はありませんでした。

# 4. 主たる理由（アンケートより）

## ① 賃金、責任の重さ等

保育士を希望しない理由で最も多いのは、「賃金が希望と合わない（47.5%）」であり、「他職種への興味（43.1%）」、「責任の重さ・事故への不安（40.0%）」、「自身の健康・体力への不安（39.1%）」がこれに続きました。

なお、「自身の健康・体力への不安」は年齢と強い相関があり、50代以上では6割を越えています。また、「賃金が希望と合わない」とする者は併せて「休暇が少ない・休暇がとりにくい」を挙げる割合が高くなっていました。（49.7%（全体では37.0%））。

## ② 休暇の少なさ、就業時間

5番目の理由は「休暇が少ない・休暇がとりにくい（37.0%）」であり、特に20〜30代では4割を超えており、次いで「就業時間が希望と合わない（26.5%）」が多くなっています。また、30代では「子育てとの両立がむずかしい（26.0%）」が比較的高く、具体的には自分の子どもが学校に行っている時間のみパートで勤務可能な求人を希望する声もみられました。

## ③ ブランクがあることへの不安

理由の7番目は「ブランクがあることへの不安（24.9%）」であり、対象者の年齢が上がるほど多くなり、40代で3割を越えていました。また、取得から年月が経過した資格が現在は通用せず、実質的に就職が難しいと考えている方も多く、ブランクのある有資格者に対する研修を希望する声もありました。

保育士を希望しない理由として「雇用形態が希望と合わない（10.0%）」、「有期雇用契約が更新されるか不安（4.8%）」はいずれも少数でした。

## ④ 保育士という仕事が嫌なわけではない

また、注目すべきは「仕事の内容が合わない」ことを理由とする回答は多くは無く、9.2%にとどまりました。

保育を専門に学んだ人は、決して保育自体が嫌になったわけではなく、上記の「希望しない理由」が解消した場合には、再度保育士として就業する可能性が高いと考えられます。

現にアンケートの中でも、保育士への就業を希望しない理由が解消された場合、保育士を希望するとした者は609人（63.6%）とおよそ3分の2に達していました。

ただし、このアンケートは回答者1人当たりの希望しない理由選択数が3.7と多岐にわたっていることに注意する必要があります。

## 【保育士としての就業を希望しない理由】（複数回答）

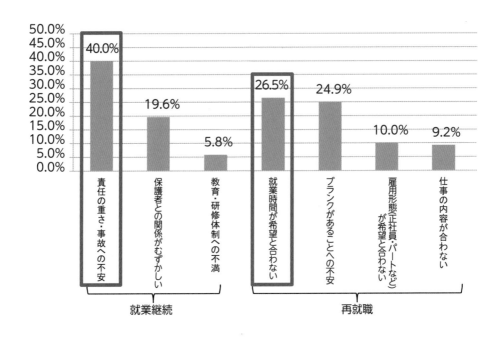

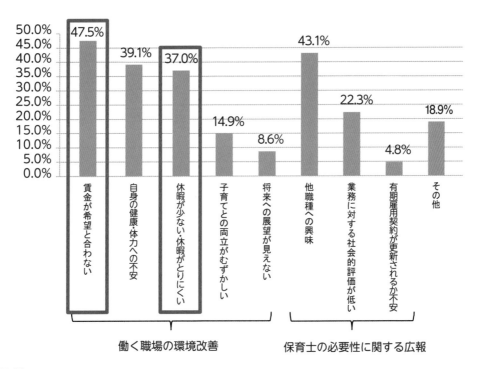

【出典】
厚生労働省「主な人手不足職種に関するハローワーク求職者の免許・資格の保有状況（労働市場析レポート 第3号）」
厚生労働省職業安定局「保育士資格を有しながら保育士としての就職を希望しない求職者に対する意識調査」（平成25年）

## 【就業を希望しない理由が解消した場合の保育士への就業希望】

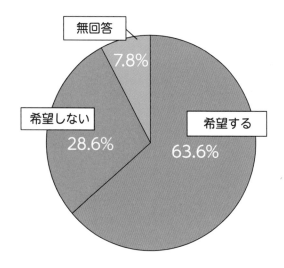

【注】回答者1人当たりの希望しない理由選択数が3.7と多岐に渡っていることに留意が必要。
【出典】
厚生労働省「主な人手不足職種に関するハローワーク求職者の免許・資格の保有状況（労働市場析レポート 第3号）」
厚生労働省職業安定局「保育士資格を有しながら保育士としての就職を希望しない求職者に対する意識調査」（平成25年）

## 【保育士への就業を希望しない理由（複数回答可）】

| | 理　　由 | 合　　計 | |
|---|---|---|---|
| 1 | 就業時間が希望と合わない | 254件 | 26.5% |
| 2 | 賃金が希望と合わない | 455件 | 47.5% |
| 3 | 仕事の内容が合わない | 88件 | 9.2% |
| 4 | 休暇が少ない・休暇がとりにくい | 354件 | 37.0% |
| 5 | 雇用形態（正社員・パートなど）が希望と合わない | 96件 | 10.0% |
| 6 | 有期雇用契約が更新されるか不安 | 46件 | 4.8% |
| 7 | 教育・研修体制への不満 | 56件 | 5.8% |
| 8 | 保護者との関係がむずかしい | 188件 | 19.6% |
| 9 | 業務に対する社会的評価が低い | 214件 | 22.3% |
| 10 | 将来への展望が見えない | 82件 | 8.6% |
| 11 | ブランクがあることへの不安 | 239件 | 24.9% |
| 12 | 自身の健康・体力への不安 | 375件 | 39.1% |
| 13 | 責任の重さ・事故への不安 | 383件 | 40.0% |
| 14 | 子育てとの両立がむずかしい | 143件 | 14.9% |
| 15 | 他職種への興味 | 413件 | 43.1% |
| 16 | その他 | 181件 | 18.9% |
| | 合　　計 | 3,567件 | |

【出典】
「保育士資格を有しながら保育士としての就職を希望しない求職者に対する意識調査」の結果（職業安定局実施）（平成25年）

| | | | 就業時間が希望と合わない | 賃金が希望と合わない | 仕事の内容が合わない | 休暇が少ない・休暇がとりにくい | 雇用形態が希望と合わない | 有期雇用契約が更新されるか不安 | 教育・研修体制への不満 | 保護者との関係がむずかしい | 業務に対する社会的評価が低い | 将来への展望が見えない | ブランクがあることへの不安 | 自身の健康・体力への不安 | 責任の重さ・事故への不安 | 子育てとの両立がむずかしい | 他職種への興味 | その他 |
|---|---|---|---|---|---|---|---|---|---|---|---|---|---|---|---|---|---|---|
| 20代 | 309人 | 件 | 75 | 179 | 35 | 148 | 19 | 7 | 21 | 61 | 86 | 39 | 35 | 84 | 101 | 47 | 173 | 53 |
| | | % | 24.3 | 57.9 | 11.3 | 47.9 | 6.1 | 2.3 | 6.8 | 19.7 | 27.8 | 12.6 | 11.3 | 27.2 | 32.7 | 15.2 | 56.0 | 17.2 |
| 30代 | 250人 | 件 | 83 | 140 | 17 | 100 | 30 | 10 | 16 | 51 | 55 | 22 | 58 | 78 | 91 | 65 | 100 | 57 |
| | | % | 33.2 | 56.0 | 6.8 | 40.0 | 12.0 | 4.0 | 6.4 | 20.4 | 22.0 | 8.8 | 23.2 | 31.2 | 36.4 | 26.0 | 40.0 | 22.8 |
| 40代 | 198人 | 件 | 50 | 86 | 23 | 61 | 27 | 13 | 6 | 39 | 41 | 17 | 64 | 85 | 81 | 26 | 69 | 35 |
| | | % | 25.3 | 43.4 | 11.6 | 30.8 | 13.6 | 6.6 | 3.0 | 19.7 | 20.7 | 8.6 | 32.3 | 42.9 | 40.9 | 13.1 | 34.8 | 17.7 |
| 50代 | 147人 | 件 | 37 | 45 | 10 | 40 | 17 | 16 | 9 | 28 | 26 | 4 | 58 | 91 | 82 | 3 | 55 | 28 |
| | | % | 25.2 | 30.6 | 6.8 | 27.2 | 11.6 | 10.9 | 6.1 | 19.0 | 17.7 | 2.7 | 39.5 | 61.9 | 55.8 | 2.0 | 37.4 | 19.0 |
| 60代以上 | 54人 | 件 | 9 | 5 | 3 | 5 | 3 | 0 | 4 | 9 | 6 | 0 | 24 | 37 | 28 | 2 | 16 | 8 |
| | | % | 16.7 | 9.3 | 5.6 | 9.3 | 5.6 | 0.0 | 7.4 | 16.7 | 11.1 | 0.0 | 44.4 | 68.5 | 51.9 | 3.7 | 29.6 | 14.8 |

【出典】
厚生労働省「主な人手不足職種に関するハローワーク求職者の免許・資格の保有状況（労働市場折レポート 第3号）」
厚生労働省職業安定局「保育士資格を有しながら保育士としての就職を希望しない求職者に対する意識調査」（平成25年）

# 第4章

# 保育士不足の解消のための国の施策

　政府はこのような状況を踏まえ、保育士不足を解消するために、さまざまな取り組みを実施しています。

　具体的には、まず厚生労働省が保育士確保のために開始した政策として、平成27年1月より開始された「保育士確保プラン」があります。

## 1．「保育士確保プラン」による保育士確保のための取り組み（平成27年1月）

　保育士確保プランとは、平成29年度末までに必要となる保育士の確保を目的におこなった諸施策です。

① 保育士試験の年2回実施の推進（人材育成）

② 保育士に対する処遇改善の実施（就業継続支援、働く職場の環境改善）

③ 保育士養成施設で実施する学生に対する保育所への就職促進の支援（人材育成）

④ 保育士試験を受験する者に対する受験のための学習費用を支援（人材育成）

⑤ 保育士・保育所支援センターにおける離職保育士に対する再就職支援の強化（再就職支援）

⑥ 福祉系国家資格を有する者に対する保育士試験科目の一部免除の検討（人材育成）

⑦ 保育士確保施策の基本となる「4本の柱」（人材育成、再就職支援、就業継続支援、働く職場の環境改善）の確実な実施

　　　　　　　　　　　　　　　　　　　など に重点的に取り組みました。

これらの施策により、保育士資格はより取得しやすくなりました。また平成29年度からは勤続年数や役職に応じてさらに手当てが付くような仕組みを導入するなど、アンケートで明らかになった保育士就業を避ける原因の解消に動き出しました。

一旦現場を離れた保育士に対しても、保育士・保育所支援センターへの登録を促し、再就職希望の状況を随時把握できるような体制となりました。

## 2.「保育士確保集中取組キャンペーン」による更なる取り組み（平成31年1月）

平成27年度から始まった「保育士確保プラン」でしたが、平成31年現在も、依然保育士の供給数は必要水準には達していません。

そのため、厚生労働省は更なる取り組みとして、「保育士確保集中取組キャンペーン」を実施し、待機児童問題の解消を目指し、「子育て安心プラン」により2020年度末までに、約32万人分の保育の受け皿を確保することとしています。

このキャンペーンの主なポイントは4点あります。

① 民間の保育園等で働く保育士の給与を、平成25年度以降約13%（約4万1千円）改善すること。（ただし数値は保育園等に対する運営費の補助金上の改善金額）
② さらに技能・経験に応じて、月額最大4万円の給与改善をはかること。
③ 職場復帰のための研修を開催し、保育士としての復帰をサポートすること。
④ 保育園の勤務環境を改善し、保育士が働き続けられる職場にすること。

それぞれ具体的には、

### ① 民間の保育園等で働く保育士の給与改善

保育士の給与を、平成31年度は約1%（月額約3千円）改善しています。これを平成25年度以降の「保育士確保プラン」でおこなわれた取り組みと合わせると、合計約13%（月額約41,000円）の改善となる見込みです。

### ② 技能・経験に応じて、月額最大4万円の給与改善

さらにこれに加えて、技能・経験に応じて、月額5千円〜4万円の給与の改善をおこなっています。なおここでいう「技能・経験」には、過去の保育士経験も含まれます。

### ③ 職場復帰のための研修の開催・復帰サポート

保育士・保育園支援センターでは、ブランクがあることで保育士としての職場復帰に不安のある方を対象として、職場復帰のための保育実技研修などをおこなっています。
また、保育士として職場復帰する際に、就職準備金（上限40万円）の貸付や、未就学児がいる場合の保育料の一部貸付をおこなっています。
これらは2年間の保育園勤務で返済は免除されることになっています。

## ④ 保育園の勤務環境の改善

保育士の勤務環境を改善し、保育士が働きやすい職場をつくるために、以下の取り組みをおこなっています。

- ・保育士の業務負担を軽減するため、保育士の業務を補助する保育補助者の雇用を支援しています。
- ・保育園でのICT（情報通信技術）の活用による書類作成業務の省力化を支援しています。
- ・3歳児の保育において、保育士を手厚く配置している場合に、保育園等の運営費を上乗せしています。（通常であれば子ども20人につき保育士が1人必要となるところ、子ども15人につき保育士1人を配置できるよう支援）
- ・保育士のための宿舎借り上げを支援しています。（上限月額82,000円）

（注）ただし一部の自治体においては、上記職場復帰や職場環境改善に関する取り組みを実施していないところもあります。

## 保育士等（民間）に関するキャリアアップ・処遇改善のイメージ（2・3号関係）

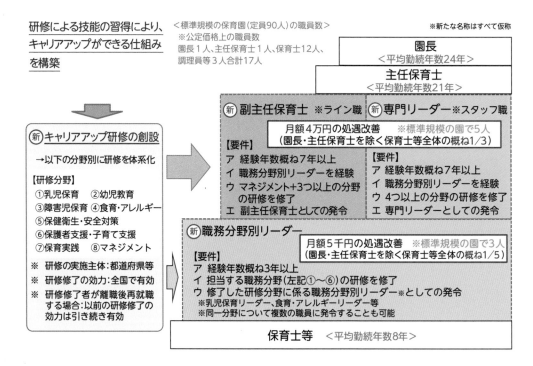

※各保育園、認定こども園等の状況を踏まえ、副主任保育士・専門リーダーの配置比率は柔軟に対応可
※上記処遇改善の対象施設等は、公定価格における現行の処遇改善等加算の対象と同じ。
※「園長・主任保育士を除く保育士等全体の概ね1／3」とは、公定価格における職員数に基づき算出したもの。

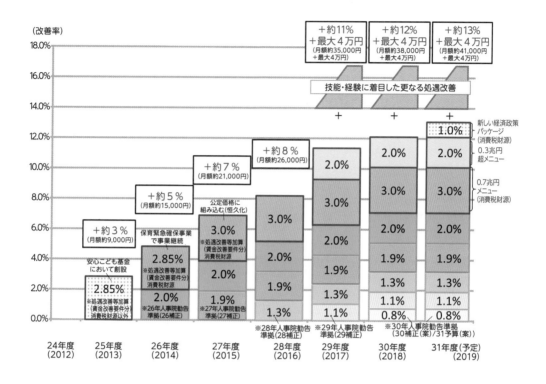

※処遇改善等加算（賃金改善要件分）は、平成25、26年度においては「保育士等処遇改善臨時特例事業」により実施
※各年度の月額給与改善額は、予算上の保育士の給与改善額
※上記の改善率は、各年度の予算における改善率を単純に足し上げたものであり、24年度と比較した実際の改善率とは異なる

【目的】
　保育士の専門性向上と質の高い人材を安定的に確保する観点から、潜在保育士の就職や保育園等における潜在保育士活用支援等を行うことを目的とする。

【主な事業内容】
○潜在保育士に対する取組
　・再就職に関する相談・就職あっせん、求人情報の提供、職場復帰のための保育実技研修の実施
○保育園に対する取組
　・潜在保育士の活用方法(勤務シフト、求人条件、マッチング等)に関する助言
○保育士に対する取組
　・保育園で働く保育士や保育士資格取得を希望する者からの相談への対応(職場体験など)
○人材バンク機能等の活用
　・保育園の離職時に保育士・保育園支援センターに登録し、再就職支援(求人情報の提供や研修情報の提供)を実施
　・保育士登録の際に保育士・保育園支援センターへの登録を促し、登録された保育士に対し、就業状況等の現況の確認や就職支援等を行うことにより、潜在保育士の掘り起こしの強化を行う。

【設置状況】
　45都道府県(63か所)設置(H30.6現在)
　※都道府県・指定都市・中核市の直営又は民間団体への委託により実施

### 【保育士・保育園支援センターの取組例】

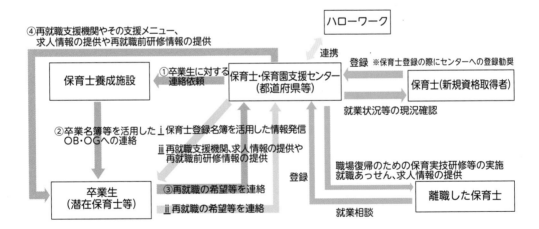

【出典】厚生労働省 「保育士確保集中取組キャンペーン」 参考資料3「保育士・保育園支援センターについて」

## ハローワークにおける保育士マッチング強化プロジェクト

### ハローワークにおける重点取組

ハローワークにおいて、求人・求職者の双方に対し保育士確保のために重点的な取組を実施

#### 1 未充足求人に対するフォローアップの徹底(対求人事業所)

　　求人受理後一定期間が経過するも未充足の保育士求人について、ハローワークが求人事業所である保育園を訪問し、求職者のニーズを踏まえた求人条件等への見直しに向けた相談・援助を実施。

#### 2 保育士としての就業意欲を喚起する求人情報等の提供(対求職者)

○保育士求人への応募検討の契機となるよう、保育士としての就業意欲を喚起するため、研修等の開催スケジュール・内容や保育士求人に関する最新動向についての情報、地域の保育事情等を踏まえた保育士向けパンフレット等を求職者へ積極的に提供。
○保育士の実情や魅力等を発信する機会として、保育園見学会や説明会の定期的な開催。

#### 3 保育園のニーズを踏まえた求人充足支援

○小規模な面接会から複数の保育園による合同面接会といった大規模なものまで、求人充足に向けた効果的な方法を保育園個々のニーズを踏まえ検討し、実施。
○求人条件等からみて、地域の保育士資格を所持している求職者では求人が充足しない場合、他地域の労働局・ハローワークと連携し、同一労働市場圏広域マッチングを展開。

### ハローワークと都道府県・市区町村の連携強化

職業紹介を行うハローワークと保育園の整備を実施する都道府県・市区町村の連携強化

#### 1 連携により保育士確保が困難な地域を重点的実施地域として取組

　　都道府県・市区町村が保有する保育園整備予定地域や定員増加地域の情報(ハコの情報)に基づく、特に保育士の確保が必要な地域において、ハローワークが保育園整備等と連動しつつ、保育士のマッチングを重点的に実施。

#### 2 都道府県・市区町村が実施している研修等の情報をハローワークに提供し、求職者に対する情報発信を強化

　　都道府県・市区町村が、保育士資格を持っている者を対象として自らが主催している研修等に関する情報をハローワークに提供する体制を整え、ハローワークにおいて研修等の情報を必要としている保育士資格を持つ求職者に対し的確に情報を提供し、研修等への参加を勧奨。

#### 3 保育士としての勤務に結びつくセミナーの開催

○労働局・ハローワークや都道府県・市区町村が実施する就職支援セミナー等再就職のための各種イベントの開催に当たって相互に連携して、地域における保育園整備等に関する情報や最新の保育士の実情、保育士求人に関する最新動向等を同時に説明する機会を積極的に設定。
○ハローワークにおいて、事業主(保育園)向けセミナーを開催するなどにより、保育士が応募しやすい求人条件などの求人・求職の最新動向やマッチングの好事例について情報提供する。また、セミナーは、都道府県(保育士・保育園支援センター等)が実施する保育園の管理者に対する雇用管理の研修と連携して開催することで、人材確保と定着を支援する。

#### 4 ハローワークと保育士・保育園支援センター等における求職者の共同支援

　　ハローワークの保育士資格を持っている求職者のうち、「保育」に対する責任の重さや保護者との関係など、保育士ならではの悩みによって保育士としての就業を希望しない又は保育士としての就業経験がない者等をハローワークと保育士に対する専門性(保育の仕方や方針等)を活かした職業相談等を行う保育士・保育園支援センターにおいて共同で支援することで、求職者が抱える課題を解決。

【出典】
厚生労働省　「保育士確保集中取組キャンペーン」
参考資料4「ハローワークにおける保育士マッチング強化プロジェクト」

# 保育士の勤務環境改善策

## 業務負担軽減

### 【保育補助者の雇い上げ支援】

○保育士の業務を補助する保育補助者を雇用する際の賃金の支援
- 保育補助者の賃金として年額221.5万円(6時間勤務1名分相当)の補助
- 保育補助者の賃金として年額295.3万円(フルタイム1名分相当)の貸付※3年間で保育士資格取得した場合、返還免除
 (未就学児を持つ保育士の割合が多い施設に対しては、さらに年額221.5万円(6時間勤務1名分相当)の貸付)

### 【ICTの活用による業務の効率化】

- 保育に関する計画・記録や保護者との連絡、子どもの登降園管理等の業務のICT化を行うために必要なシステムの導入費用(上限100万円)を補助

## 保育士配置の充実

- 3歳児の保育において、保育士を手厚く配置している場合に、保育園等の運営費の上乗せを実施
 (通常であれば子ども20人につき保育士が1人必要となるが、子ども15人につき保育士1人を配置できるように支援)

## その他

### 【保育士のための宿舎借り上げ支援】

- 保育士のための宿舎の借り上げを支援(月額上限82,000円)
 ※対象者:採用されてから最大10年以内の者

【出典】厚生労働省 「保育士確保集中取組キャンペーン」 参考資料5「保育士の勤務環境改善策」

# 第5章

採用面接にあたって

## 1. 採用面接にあたって

　今まで述べてきたように、厳しい採用環境の中、各園ごとにさまざまな方法を用い、かつ工夫を凝らして求人・採用活動をおこなわれていることと思います。

　この章では採用活動の結果、入職希望者の書類上の選考が終わり、いよいよ採用候補者を絞りこんで、面接による選考をおこなう際に、特に気を付けるべき点について申し上げます。

　現在特に注意すべきポイントとして、学生時代から精神疾患、例えばうつ病等を患っている人が増えてきているということが挙げられます。しかしこれはご承知の通り採用に当たってストレートには質問できない項目です。

　個人情報保護法という法律があり、平成29年5月30日に大きな法改正がありました。この改正で、病歴だとか犯罪歴のある人にその質問をする場合には、あらかじめ本人の同意を取り付ける必要がある、ということになったのです。

　つまり事前に本人の同意がなければ質問もできない、という大前提ができてしまったのです。

　では採用にあたってどうするのかということですが、ひとつのやり方として57ページに記載の「採用面接時質問票」という様式を使って、事前に利用目的を明示して本人の同意を取り付けたうえで、質問に答えてください、という立て付けでおこなうことは、求人をおこなう側の任意となります。

様式の冒頭をご覧ください。

「この質問票は、当社業務を円滑かつ安全に運営するとともに、園児の安全に配慮し事故の発生を未然に防ぐために記入をお願いするものです。ただし、同意をいただけない場合は、質問に答える必要はありません。」と同意を求める文言が記載してあります。これによってあらかじめ同意をとったうえでの質問となるわけです。

　その後、今現在病気にかかられてますか、薬を飲んでいますか、過去に犯罪歴がありますか、という質問をするわけです。

ちなみにこの「犯罪歴」ということについては、我々の園の仕事において切実な問題であることは言うまでもありません。

　例えば幼児に異常な興味を持っている人、あるいは写真を撮る性癖のある人とか、もっと直接的に子どもにいたずらをする人、あるいは感情の起伏が激しくてすぐ手が出る粗暴な人だとか、もしそういったことで過去何らかの事件にかかわった経歴があるとしたら、これらは採用にあたってとりわけ気を付けなければいけないポイントだと考えます。

　そのためにもこのような質問票で個人の同意を得たうえで、病歴にしろ犯罪歴にしろ、しっかりと聞くべきだと思います。もし「答えたくない」「質問に同意はしない」という反応があった場合は、もちろん記入を無理強いする必要はありません。ただし、記入をいただけなかったという対応も含め、面接の内容の総合的な評価をおこない、採用にあたっての判断をおこなうわけです。

　保育士不足で採用難ではあるものの、おかしな人が入ってきたら、それこそもっと大変なことになってしまうことを考えると、決して妥協すべきではないと思います。

　ある園で、このアンケートに全部「いいえ」と書いて、つまり健康面で申告することは何もありませんという前提で採用された職員がいました。

　しかしながら一緒に仕事をしていると、明らかに様子がおかしい。日中に子どもから注意がそれてしまい意識が無くなることが頻繁にあったのです。

　周囲からの訴えを受けて園長が何度か面談したところ、「黙っていて申し訳ありません。実は学生時代から鬱病にかかっていてずっと服薬をしていました。」との事実の申告がありました。そして最近になって薬を変えたところ、どうもそれが体質に合わなかったようで、日中意識が遠のく事が増えていたということが判明したのです。

　この職員はアンケートで「嘘を書いて」採用されたわけです。

　この場合労務管理としてどうなのかと言いますと、その園の就業規則の中の「懲戒解雇の定め」の部分には、懲戒解雇の対象となるケースを具体的に列挙してあり、その中に「虚偽により採用されたもの」という項目を定めていました。

　したがってこのケースは、「虚偽」という点では形式上懲戒解雇に該当するような事象であったわけです。事情はともかく、何より子どもの保育に専念するべき職務にありながら、日中意識をなくすような状態を看過することはできません。

最終的には本人も非常に反省していることもあり、総合的な状況を勘案して自己都合での退職とし、まずは治療に専念してもらうということで決着したという事例がありました。

　また別の事例では、「学生時代に違法ドラッグの使用で捕まった」といった経歴の持ち主も存在しました。

　採用面接をおこなうにあたっては、その人のコミュニケーション能力からはじまり、適性や職歴、これまでに携わってきた様々な経験等をヒヤリングして、総合的に人物判断をすることが必要になります。

　過去に若気の至りで犯してしまった過ちを、どのように判断するかと言う問題もありますが、その人の良い面も悪い面も含めた真実の経歴を示す情報が提示されないと、園としてどこまでその人を理解して受け入れるのかという適切な判断をすることさえもできないということをお考えいただきたいと思います。

　最近の市販の履歴書には、「賞罰」の欄や「健康状態」の欄が無いものが多いです。
以前は必ずあったのですが、恐らくはさまざまな法律の改正にともなって、こういう欄ごと無くなってしまったものと思います。

　その結果お互いが、「別に隠すつもりはなかったが、書くべき欄が無いから書かなかった。」「書いていないので事前同意もとりつけられず、聞かないままになってしまった。」というように面接が終了してしまうと、結局必要なフィルターが全く機能しなかったということが起こりえるわけです。

　だからこそ57ページのような採用面接時質問票で、しっかりと必要な情報を尋ねることが、必要な時代なのだと思います。

# 採用面接時質問票

年　　　月　　　日

氏名 ＿＿＿＿＿＿＿＿＿＿＿＿＿

この質問票は、当社業務を円滑かつ安全に運営するとともに、園児の安全に配慮し事故の発生を未然に防ぐために記入をお願いするものです。
ただし、同意をいただけない場合は、質問に答える必要はありません。

（1）現在治療を受けている病気はありますか

　　　　　　　　　　　　　　　　　　　　　　　　　はい　　　いいえ

　　　「はい」と答えた方にお聞きします
　　　病状・症状
　　　通院状況

（2）過去2年間において、病気が原因で入院、通院された経験がありますか

　　　　　　　　　　　　　　　　　　　　　　　　　はい　　　いいえ

　　　「はい」と答えた方にお聞きします
　　　病状・症状
　　　通院状況

（3）心の悩み等で専門医またはカウンセラーに相談したことはありますか

　　　　　　　　　　　　　　　　　　　　　　　　　はい　　　いいえ

　　　「はい」と答えた方にお聞きします
　　　相談した時期　　　年　　　月

（4）もし採用された場合、就業にあたり、健康面で特別の配慮が必要ですか

　　　　　　　　　　　　　　　　　　　　　　　　　はい　　　いいえ

　　　「はい」と答えた方にお聞きします
　　　どのような配慮が必要ですか

（5）過去に犯罪歴・逮捕歴はありますか

　　　　　　　　　　　　　　　　　　　　　　　　　はい　　　いいえ

　　　「はい」と答えた方にお聞きします
　　　それはどのような内容ですか

（個人情報の取り扱いに関して）
・当園がお預かりした個人情報は、使用目的を遵守し、別の用途には使用致しません。
・当園は個人情報保護法に関する国内法及び規則、その他規範を遵守します。

## 「あとがき」にかえて　〜職員から選ばれる園になるために〜

　地域や保護者から「選ばれる園」になるためには、その前提として職員から「選ばれる園」にならなくてはなりません。

　本書では保育士採用のノウハウとも言える第1章に続き、保育士から選ばれる園になるための「園の取り組み」について第2章で多くのページを割きました。またその取り組みをより有効なものとするために、アンケート回答や国の施策等を第3章・第4章で詳述しました。園での取り組みのヒントとなり、職員採用に悩む園の皆様のお役に立つことができれば幸いです。

　なおチャイルド社では、本書以外にも「選ばれる園になるための書籍シリーズ」を刊行し、管理職や保育者を対象とした研修会・セミナーを多数開催しております。さらに貴園の「働き方改革」に直接貢献できるサービスも各種ご提供しております。

　地域・保護者・職員から選ばれる園になるために、ご活用いただけるツール・サービスがございましたら、お近くのチャイルド社までお声掛けいただきますよう何卒宜しくお願い申し上げます。

## ◆ 企画

### 柴田 豊幸（しばたとよゆき）

株式会社チャイルド社代表取締役社長。保育士。
株式会社三恭（保育園パピーナ6園を運営）総園長。
社会福祉法人はじめ会高の葉保育園理事長。
社会福祉法人愛和会7園理事長。
越谷保育専門学校の講師も務め、セミナー講師としても活躍。
チャイルド社の「選ばれる園シリーズ」では企画監修を務め、
主な著書として「選ばれる園になるための実践マニュアル」
「選ばれる園になるための保育者研修」（チャイルド社）
「あなたを悩ます話してもわからない人」「あなたを悩ます困った人」
「やさしいあなたが苦しまないための非常識クレームへの対応法」（幻冬舎）　ほか多数。

## ◆ 監修

### 柴田 洋平（しばたようへい）

弁護士、保育士。株式会社チャイルド社取締役。
慶應義塾大学法学部法律学科・東北大学法科大学院修了。
2011年弁護士登録。レーヴ法律事務所共同代表。
東京弁護士会子どもの人権と少年法に関する特別委員会委員。
元東京都児童相談センター協力弁護士。
主な著書として「選ばれる園になるための虐待対応」
「選ばれる園になるための保育事故対応マニュアル」（チャイルド社、共著）などがある。

## ◆ 編著

### 神戸 敏文（かんべとしふみ）

株式会社チャイルド社常務取締役。保育士。
東京大学卒業後、1985年に第一勧業銀行
（現みずほ銀行）に入行。
1988年に厚生省（当時）に出向。
銀行においては本部企画部門管理者、
都内支店長等を歴任し、経営計画の策定にも参画。
株式会社三恭（パピーナ保育園6園を運営）の
常務取締役総務・人事部長も兼務。
2017年に保育士資格取得。
主な著書として「選ばれる園になるための労務管理」
「選ばれる園になるための保育者研修」「どうする、園の働き方改革」（チャイルド社、共著）がある。

## ◆ 執筆協力

### 森井 亮太（もりいりょうた）

社会福祉法人愛和会理事。
朝和保育園園長。

## どうする！園の職員採用

2020年3月　初版第1刷発行　　　　商品番号 8576

企　　画：柴田豊幸
監　　修：柴田洋平
編　　著：神戸敏文
執筆協力：森井亮太
デザイン・イラスト：（有）プロデュースマツモト
校　　閲：渡辺正樹
編　　集：渡辺正樹

発 行 者：柴田豊幸
発 行 所：株式会社チャイルド社
　　　　　〒167-0052 東京都杉並区南荻窪 4-39-11
　　　　　TEL 03-3333-5105
　　　　　http://www.child.co.jp/